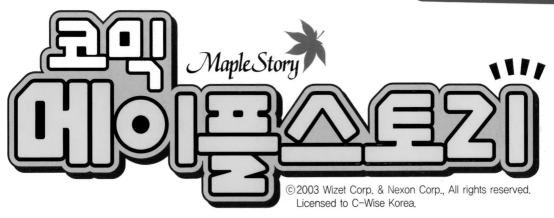

코믹 MapleStory 메이플스토리

오프라인 RPG 6

오프라인 RPG 6

- **1판 1쇄 발행** | 2005년 1월 5일
- **1판 3쇄 발행** | 2005년 2월 15일
- **글** | 송도수
- **그림** | 서정은
- **칼라작업** | 안지연 · 정자인
- **펴낸이** | 조대웅
- **펴낸 곳** | 서울문화사
- **부국장** | 김영중
- **편집책임** | 최원영
- **편집진행** | 이은정, 방유진
- **주소** | 140-737 서울특별시 용산구 한강로2가 2-35
- **전화** | 7999-201(판매) 7999-175(편집)
- **팩스** | 749-4079(판매) 7999-300(편집)
- **등록** | 제2-383 1988. 2. 16.

　　ISBN 89-532-9738-9
　　　　　89-532-9437-1 (세트)

- **표지 및 본문 디자인** | design86 여희숙 박원준
　값 8,500원

지난 줄거리

델리키의 활약으로 와일드보어를 물리친 도도 일행은 베이컨 왕국에서 극진한 대접을 받고 돈까스 3세와 함께 에아를 구하기 위해 페리온으로 길을 떠난다. 한편 베이컨 왕국의 왕비를 꿈꾸는 바우는 돈까스 3세의 마음을 얻기 위해 정성을 다하지만 돈까스는 오히려 부담스러워한다. 돈까스의 관심을 끌기 위해 델리키에게 마법을 배우던 바우는 급기야 땅을 갈라지게 하는 엄청난 마법으로 큰일을 저지르고 마는데…!!

코믹 메이플스토리는 인기 온라인 게임 메이플스토리의 캐릭터를 이용하여 만들어진 **코믹북**입니다.

캐릭터 소개

도도

빅토리아 아일랜드로 가서 전사가 되고 싶어하는 소년. 단순하여 아무 생각없는 듯 하지만 사람들이 당연하다고 생각하는 몬스터들과의 싸움에 대해 의문을 가지는 등 의외로 생각이 깊은 면도 있다.

아루루

자신을 '초울트라슈퍼캡짱 의적' 이라고 소개하는 자신감이 철철(?) 넘치는 명랑 쾌활한 성격의 소년. 세상에서 '도둑' 이란 말을 제일 듣기 싫어한다.

바우

자신의 외모에 엄청난 자부심을 가지고 있으며, '활' 을 이용한 모든 공격이 뛰어나다고 주장하지만 아직 확인된 바 없다. 또한 어떠한 상황에서도 항상 당당하며 모든 일을 미모로 해결하려 한다.

델리키

마법사로서 엄청 깔끔하고 섬세하고 예민하다. 더러운 것은 차마 눈 뜨고 못 보는 결벽증이 있는 소년. 하지만 바우를 만나고 차츰 달라져간다. 또한 자신에게 엄청난 마법 능력이 있다고 철썩같이 믿고 있다.

생선까스

돈까스의 사촌동생으로서 착하고 순한 인상에 얼굴은 금붕어처럼 생겼다. 온실 안의 화초처럼 몸이 약하지만 돈까스 형을 위해서라면 무엇이든지 할 수 있다는 각오를 보인다.

레드 드레이크

레벨 60. 거대한 몸에 뛰어난 지능까지 갖춘 몬스터로서 불을 사용한 공격을 주로 하기 때문에 얼음 공격에는 약한 단점이 있다.

*게임에서는 여자 캐릭터지만, 만화의 재미를 위해 〈코믹 메이플스토리〉에서는 남자로 설정되었습니다.

캐릭터 소개

다크 스톤골렘

레벨 58. 한때는 악의 기운에 물든 포악한 몬스터였지만, 도도와의 대결에서 패배를 깨끗이 인정하고 도도가 위기에 처할 때마다 영혼으로 나타나 도움을 준다.

머쉬맘

매우 거대한 버섯으로 모든 버섯 몬스터들의 어머니와 같은 존재이다. 눈을 번뜩이며 육중한 몸으로 높이 점프하여 주변의 땅을 뒤흔드는 공격은 엄청난 위력을 자랑한다.

좀비버섯

모험자들에게 쓰러진 버섯들을 모아 죽은 자의 부적을 붙여 다시 살려낸 일종의 재활용 버섯들이다. 재활용이라고는 하나 공격, 방어, 속도가 모두 좋은 버섯 몬스터이다. 단, 빛에 매우 약하다.

주니어 카고

와일드 카고의 새끼. 친 누나처럼 따랐던 에아에 게 초능력을 받고 삐삐 에서 주니어 카고로 업 그레이드 된다.

공익요원

커닝시티 지하철에서 표 를 팔고 있으며, 잘못된 일은 절대 그냥 지나치지 못하는 확실한 성격. 착 하고 성실하지만 융통성 이 없어서 답답한 면도 있다.

돈 지오바네

커닝시티의 시장. 한때는 커닝시티 헤어숍의 원장 으로서 헤어디자이너였 지만, 지금은 악한 무리 의 앞잡이로서 세계수의 딸을 찾기 위해 해마다 '미인대회'를 열고 있다.

차례

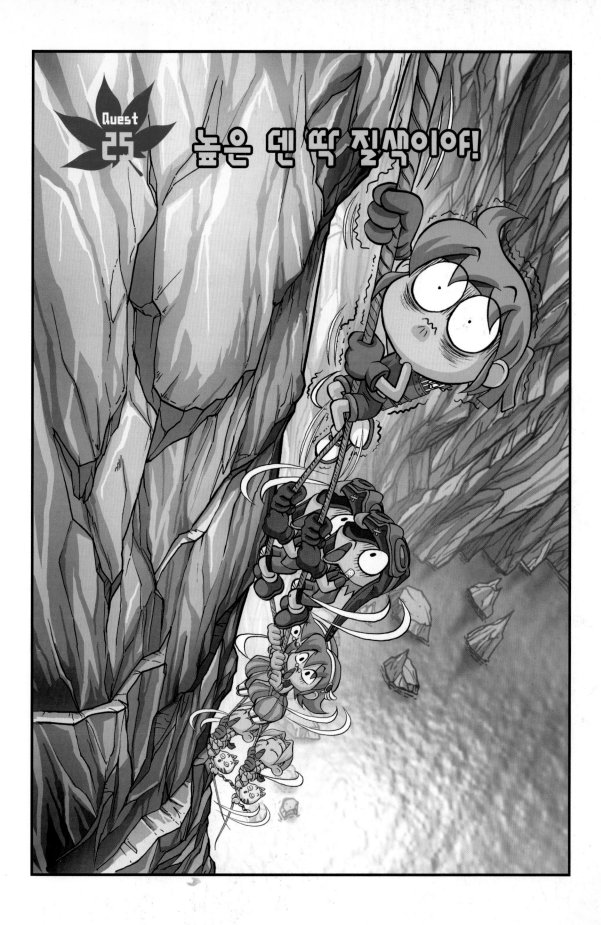

돈까스가 땅 밑에 갇혔어!

내 사랑 돈까스 이제 어떡할 거야?

바, 바우야, 돈까스가 누구 때문에 땅 속에 떨어졌지?

그…, 그야 물론 나 때문이지.

델리키, 무슨 방법이 없을까?

물론 있지!

킹콩 땅콩,
지하의 영혼들이여~.

내 친구 돈까스를
돌려보내다오!

델리키, 왜 그래?

누군가 땅 속에서 내 마법을 방해하고 있어.

정체를 밝혀랏!

너…, 넌 콜레라 발록!

고릴라 발록이 돈까스를 잡아간 게 틀림없어!

고릴라가 아니라 콜레라….

아이고~, 이를 어째~! 돼지는 고릴라에 걸리면 끝장이라던데….

고릴라가 아니래도 자꾸….

가만! 돈까스가 사고를 당하면 베이컨 왕국의 국왕은 누가 되는 거지?

그야 물론 국왕의 여친인 나, 바우 님이 국왕이 되는 게 아니겠어?! 으흐흐흐~~.

바우, 쟤 왜 저러냐?! 정말 못말려!

시간이 없도다! 경들은 어서 베이컨 왕국에 이 소식을 알리고, 새 국왕 폐하를 맞이할 준비를 서두르라!

바우야, 그보다는 콜레라 발록을 물리치고 돈까스를 구하는 일부터 해야…

14

어허, 경들은 어찌 그리
생각이 없소? 국왕의 자리는
잠시라도 비워서는 안 되는 법!

후훗~

바우의 저 얼굴을 봐.
뭔가 또 엄청난 상상을
하고 있나 봐.

수근수근

저게 대체 무슨 뜻일까?

저건 아무도 몰라.

심지어 바우 자신도 몰라.

바우야, 그런데 그 편지는 어떻게 보낼 거야?

여긴 우체통도 없는데…?

나한테 다 생각이 있어~.

쓱 쓱

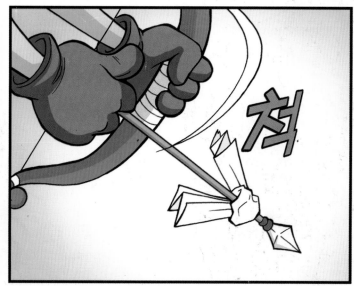

쳐

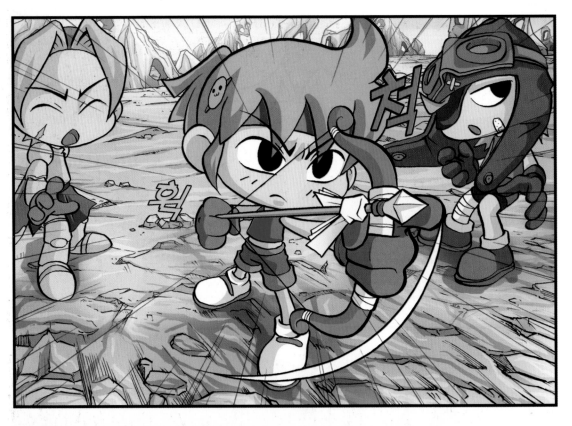

편지 보내신
분들이 맞죠?!

네?!

전 돈까스 형님의 사촌 동생
생선까스라고 합니다.

그런데 편지의 내용이 뭔지나 알고 온 거에요?

물론이죠.

돈까스 형님이 사고를 당하셨음. 땅이 갈라져 그 안에 빠지셨는데 땅이 닫혀 버렸음. 콜레라 발록에게 잡힌 것 같음. 그럼 이제부터 누가 국왕을 할까? 돈까스 형님의 여친 바우 님이 딱 알맞음.
바우스타샤 여왕 폐하 만세~~.

우와~!!
바우 글씨를 알아봤단 말야?!

내가 봐도 뭔 소린지 하나도 모르겠네.

형님들,
저도 끼워 주세요!
돈까스 형님을 구하는
일에 힘을 보태고 싶어요!

그 뜻은 알겠지만
몸이 무척 약해
보이는데…

사실, 제가
어릴 때 부터
공부만 해서
몸이 약하긴 해요.

하지만 돈까스 형님은
제겐 하나뿐인 형제예요.
이대로 지켜볼 수만은
없다구요!

흐음…
기특한 동생이군.

이 친구도 데려가자.
반대 없지?

나는 반대야!

???

저녀석은 돈까스의 사촌 동생이니까 내 국왕 자리를 노릴지도 몰라. 그러니까 공을 세우게 해선 안 돼.

바우 쟤가 또 무슨 엉뚱한 상상을 하고 있는 걸까?

바우 누님, 저도 함께 형님을 구할 수 있도록 허락해 주세요!

그리고 돈까스 형님에게 무슨 사고라도 생겼다면 새 국왕은 당연히 누님이 되셔야 한다고 생각해요.

이리하여 도도 일행은 다시 페리온의 바위산을 향해 길을 재촉하는데….

그런데 갑자기
웬 안개지?

사악한 냄새가 나는 안개야.
왠지 느낌이 좋지 않아.

괜찮니?

저놈의 말이
갑자기 왜 저래?

뭔가 위험을 느끼고
도망친 거야.

하긴… 동물의
직감은 인간보다
훨씬 발달해 있지.

혀, 형님들,
저것 좀 봐요!

저벅

동굴이 있으니
...운 자는 돌아가라!

저주의 동굴이
있으니…

목숨이 아까운 자는
돌아가라?!

척 척

델리키, 이 산의 북쪽이란 말이지?

응! 분명 악마의 기운을 느꼈어!

그럼 에아와 돈까스도 거기 있을지 몰라!

그래서 지금 저기까지 올라가자는 거야?

으아아앙~ 케이블카도 없이 저길 어떻게 올라가! 게다가 난 아까 말에서 떨어져서 허리도 아프단 말야~!!

혼자 올라가기도 힘든데 이렇게 무거운 줄까지 들고 가란 말야?!

저기 정상이 보인다!

아싸~!

아이고~ 힘들어!
에아랑 돈까스 구하기 전에
내가 먼저 죽을 뻔했네~!

휴~
바우 줄까지
가지고 오느라
정말 힘들었어.

다 올라왔으니,
이제 내려가야
겠지?

응!

뭐야… 다시 내려갈 거면서
힘들게 여기까진 왜
올라온 거야!

경치 좋~네!
구경 다했으니까
이제 그만 돌아가자.

가긴 어딜 가?
우린 이 밑으로
내려가야 해!

도도야,
쟤가 지금
노, 농담하는
거지? 그치?

바우야, 농담이 아니야.
이건 친구의 목숨이
달려있는 아주 중요한
문제라구!

싫어, 난 안 내려가!
높은 덴 딱 질색이라구!

어서 각자의
밧줄 끝을
묶어서 잇자!

길이가 모자르지
않아야 할 텐데….

아니, 쟤네들이
내 말을 완전히
무시하네?

다 됐다!

좋아, 이 정도면 깊이 박혔을 거야.

내가 1번으로
내려갈게.
줄타기엔 자신
있으니까.

걱정 마! 너는 순서에 넣지도 않았어.

저게…!

창피하지도 않나…? 어린 생선까스도 이렇게 용감하게 나서는데….

자, 친구들을 위해 파이팅~!

바우야,
넌 빠져야
되는 것 아냐??

알았어! 치사해서
빠진다, 빠져!

아자, 아자!

니들 정말
나 혼자 두고
내려갈 거야?

넌 내려가기
싫다며?

삐삐, 너는 나랑
같이 있을 거지, 그치?

삑!
(싫어!)

삐삐는 너처럼
겁쟁이가 아니야.

으아~ 너무 무거워서 꼼짝을 안 하네!

뭐 좋은 방법이 없을까?

돌풍이다~!

조심해~ 밧줄을 꽉 잡아!

아, 아, 아, 안 돼ㅡ

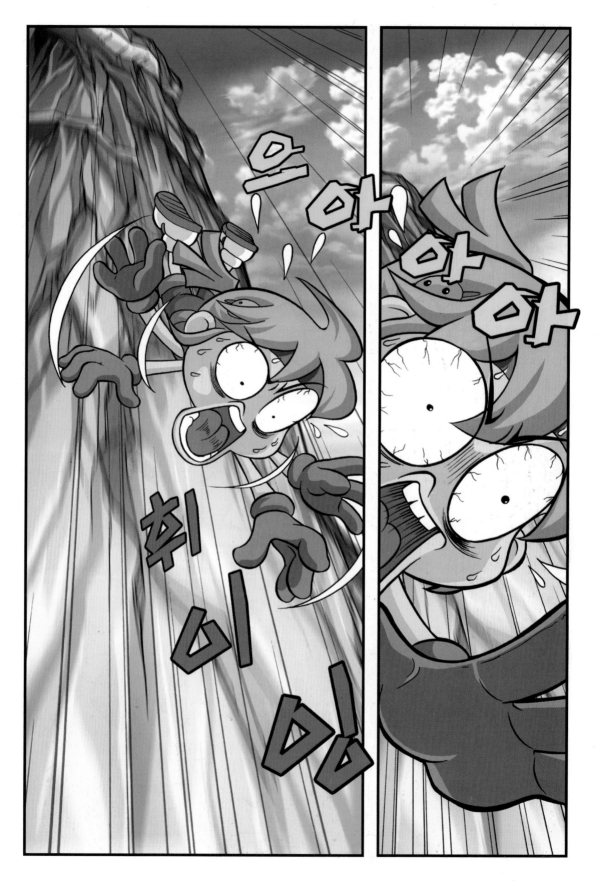

이럴 줄 알았으면
그냥 밧줄 타고
내려올거어얼~~!

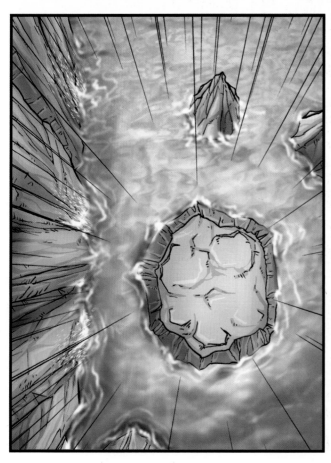

뭘 봐?

바우야!

난 성질이 급해서
너희들처럼 천천히
못 내려와!

아까 겁쟁이라고
비웃은 거,
당장 사과햇!

말은 저렇게 해도,
아마 실수로 미끄러져
떨어졌을 거야.

당연하지~!
안 봐도 훤하다,
훤해~.

아니, 내 말을
통 안 믿네!

뭔가 대범한
행동으로써 나의
용감함을 보여줄
때다!

동굴이 어느 쪽이야?
이번엔 내가 앞장설 거야!

바우 누님,
잠수 잘 하세요?

물론이지~ 나는 목욕탕에
갔다 하면 잠수부터 하는
사람이라구!

수중동굴은
웬만한 잠수
실력으로는
힘든데….

생선까스, 넌 생긴 것
만큼이나 잠수를
잘하겠지?

예, 잠수라면
자신 있어요.

오케이, 이번엔 생선까스가 1번으로 들어간다!

찬성!

니들 내 말 못 들었어?!

내가 1번이야, 반대하면 가만 안 둘 거야!

조용

진작에 그럴 것이지~!

누님, 들어가시기 전에 먼저 심호흡부터….

후훗~ 그거야 초보자의 경우지.

나 같은 고수는 평소 호흡만으로도 얼마든지 잠수가 가능해. 목욕탕에서 한두 번 실험해 봤는지 알아?

목욕탕하고 바닷속은 전혀 다르…

시끄러! 똑같은 물인데 뭐가 달라?

그럼 잘들
보라구~.

바우야, 괜찮니?

다, 당연히 괜찮지!

야, 너희들 중에 수영에 자신 없는 사람 있으면 빨랑 말해! 내가 책임질 테니까!

솔직히 말해서… 난 수영엔 자신 없어.

좋아, 델리키! 넌 내가 맡는다! 내 옆에 바짝 붙어~.

으~ 더 이상 숨을 못 참겠어!

바우야, 왜 그래?

숨… 숨이…

안 되겠어. 내 숨을 받아!

델리키, 조금만 참아!

물의 흐름이 느껴져. 수중동굴의 입구가 틀림없어!

바우가 확실히 짚은 걸까? 만약 아니라면 우리 모두 물귀신이 되고 말 텐데….

여기가 틀림없어! 니들 날 믿지?!

물론 믿어야지.
안 믿으면 난리칠 거잖아….

우우웁….

숨이 막혀서
더 이상은…

못 참겠어!

바우야, 어서 델리키부터 살펴봐!

맙소사, 숨을 안 쉬어!

내가 할게!

뭐야? 그럼 어서 인공호흡을 해야지!

잘 됐다. 델리키도
기뻐할 거야.

후웁!

바, 바우야!

재네는 어쩜 저렇게
박자가 안 맞냐?

바, 바우가
숨을 안 쉬어!

어서 인공호흡을!

나한테 맡겨!

이번엔 잘 돼야 할 텐데….

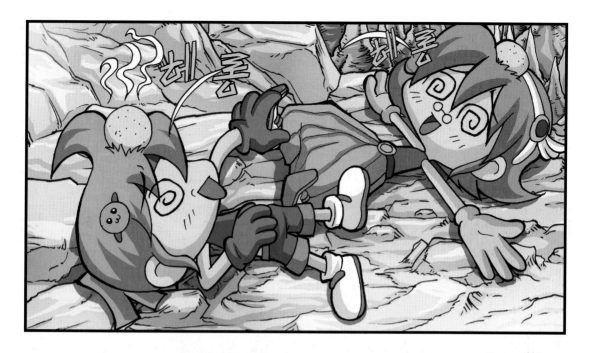

에휴~ 저렇게
안 맞기도 힘들어.

둘은 인연이
아닌가 봐.

우리
뭔 일 있었냐?

이렇게 꾸물거릴 시간 없어.
어서 동굴 깊숙이
들어가 보자구.

이제부턴
내가 앞장설게.

직업상
낯선 장소를 뒤지는 데는
아루루를 능가할 사람이 없지.

다들 정신 바짝 차려!
여긴 콜레라 발록의
소굴임을 잊지 마!

이곳은 발록의 조상들에게 제사를 지내는 곳인가 봐.

안녕하세요?

비나이다~ 비나이다~ 조상님께 비나이다~~!

야, 악마한테 빌긴 왜 빌어?

참, 우리 조상님이 아니지!

그런데 콜레라 발록은 어디 있지? 벌써 도망쳤나?

내가 마법의 힘으로 알아볼게.

몬스터가
이 방 안에 있어!

어디?

벽 속에
숨어 있나?

벽 속은
아니야!

다시 한번
알아볼게.

델리키!

괜찮아?

···몬스터는
우리 가까이에 있었어!

너…, 넌 레드 드레이크!

네가 어떻게…!

크흐흐… 여기까지 안내해 줘서 고맙다. 세계수의 딸을 찾기 위해선 너희들의 도움이 필요했지!

그럼 진짜 생선까스는…

그 비실비실한 녀석은 내가 진작에 잡아먹었지, 크크크~~.

그럼 에아와 돈까스는 어디 있는 거야?

글쎄… 내가 콜레라 발록이라면
가둬둘 곳은…

저건 뭐지?
비밀 통로인가?

후훗~,
명색이 국왕이란 자가
떨고 있는 모습이라니!

아니, 저 돼지가
돈까스 3세란
말야?!

그렇다면
에아는….

자신의 본모습인
나무로 돌아간 모양이군!
어차피 이제 곧 내 손에
사라지겠지만!

그 계집애는…

안 돼! …레드 드레이크,
내 친구들을 얌전히 풀어주면
널 용서하겠다!

크하하하—

어린 녀석이
겁도 없이 감히…!

내가 상대해 주지!
이야압~!

각오해랏!

와아~
아루루 제법인걸~!

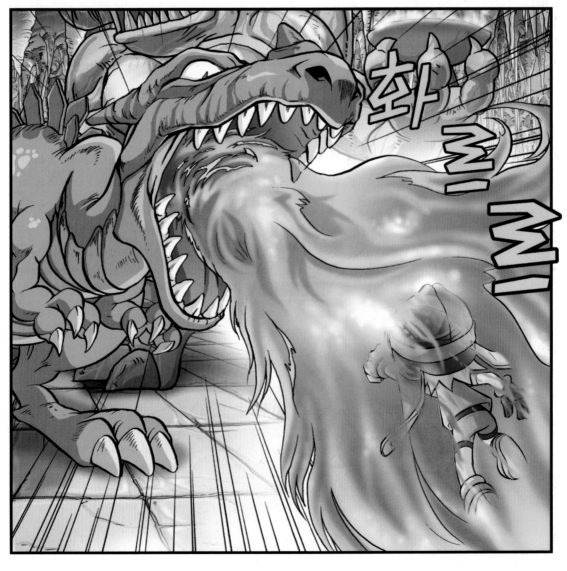

아루루!

이번엔
내가 상대해 주마!

으...
어린 녀석치곤
마법 실력이
제법이구나!

매직 파워 업!
맥시멈 레벨-

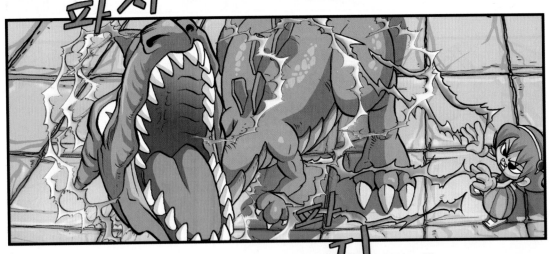

좋았어, 델리키!
조금만 더!

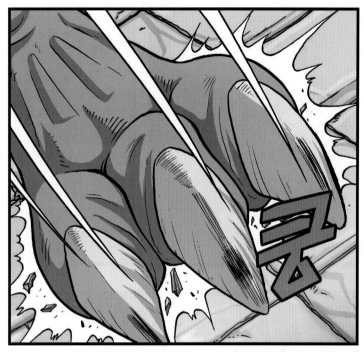

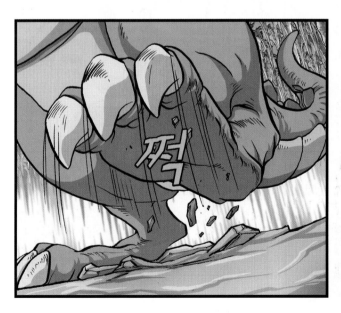

흥, 별것도 아닌 게
까불었군.

이제 이 바우 님
차례시다!

풋~ 코딱지만한 게
어디서, 나참~.

내가 처음부터
적수로 생각한 것은
너뿐이었다.

자, 자신이 없어.

자- 덤벼라, 도도!

크흐흐~ 벌써
겁먹은 거냐!

도도, 너답지 않게
왜 이러는 거냐?

두, 두려워요,
다크 스톤골렘.
도저히 이길
자신이 없어요.

물론 전투력
레벨로 따지면
네가 불리하지.

레드 드레이크는
전투력 레벨이 무려
60이나 되는
몬스터니까 말이야.

거봐요. 난 도저히
이길 수 없다구요.

도도, 인간과 몬스터의
다른 점이 뭔지 아느냐?

인간에겐
'지혜'가 있다는
점이지,
그 어떤 힘도
절대 지혜를
능가하진 못해!

그, 그게
무슨 뜻이에요?

힌트를 하나 주지,
녀석의 급소는
나와 같은 곳이다.

정수리?! 그치만 내 키의 5배도 넘는 정수리까지 어떻게 접근하냐고요!

힌트는 거기까지! 나머지는 너의 지혜로 해결하거라.

다, 다크 스톤골렘, 가지 말아요! 좀 더 가르쳐 달라구요!

흑흑흑

뭘 혼자 구시렁거려? 너무 무서워서 돌아버리기라도 했냐, 킬킬킬~~.

흑… 모르겠어! 도대체 무슨 뜻인지….

ㅇㅇㅇ…
어쩌면 좋지…?

그래,
정신을 집중하자!

지혜…

그래, 바로 이거야!

오, 안 돼~ 도도!

아주 저절로
넘어지는구나!

이제 틀렸어!

끝장내 주지,
크아아-

천만에!

난 넘어지지 않아!

널 유인하기 위한
계략이었다!

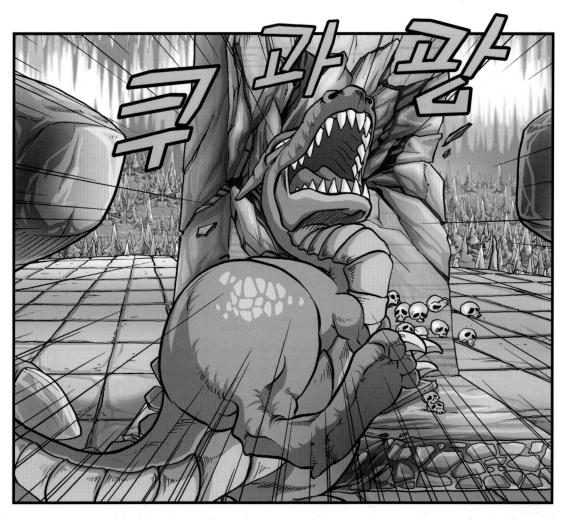

기둥이 부서졌어!
곧 둥굴이 무너질 거야!

얘들아, 에아랑 돈까스도 데려가야지!

도도, 발록 조상의
신전을 무너뜨리다니…
그 저주가 영원히 너와
함께 할 것이다….

아, 살았다~~!

바우스타샤, 그대는
내 목숨을 구한 은인이오.
어서 짐과 함께 돌아가
결혼식을 올립시다!

딴 데 가서
알아볼래? 돼지는
돼지끼리 놀아야지!

바우스타샤, 그러지 말고
짐의 왕비가 되어 주오!

싫다니까!

와아,
돼지도 헤엄
잘 치네!

자유형이나 평형보다
돼지형이 훨씬 빠르겠는걸~.

바우야, 돈까스는
잘 돌려보냈니?

응.

내가 웬만하면 결혼을 하겠는데
말이야, 얼굴을 보면 자꾸 돼지
머릿고기 생각이 나서….

델리키, 에아가 다시 원래의
모습으로 돌아올 수 있는
방법은 없을까?

걱정 마~.
마법책에 보면…

나무를 다시 인간으로
되돌리는 마법이
나와 있어.

어떻게?

우선 나무를
동굴 속에 넣고
마법을 건 다음에…

동굴 입구를 바위로 막고
사흘 동안 기다리면 돼.

위대한 창조의 영혼이시여,
우리 친구 에아를 다시
인간의 모습으로
되돌려주옵소서!

휴~ 사흘 후면 에아를
다시 볼 수 있어~♥

이틀 후

아휴, 심심해!

삐끅 끄덕

얘들아, 우리 잠깐만 놀고 오면 안 될까?

무슨 소리야?

동굴 앞을 지켜야지!

철 좀 들어라, 제발!

싫으면 관둬!
치사하게~
나 혼자 간다!

쟤는 언제나
철이 들까?

힘들걸~.

힘든 게 아니라
앞으로도 불가능할걸.

나는 세상에서
노는 게 제일 좋아~.
룰루랄라~.

앗!
버섯밭이다!

근데… 버섯마다
이상한 종이가
하나씩 붙어 있네?!

간질!

간질!

아휴~ 가려워!
어디 코 풀 만한 게 없나?

두리번

좋아, 이걸 떼서
풀어야겠다.

쓱

북적

떼지 마!

취!

어… 내가
잘못 들었나?

아니,
우리가 말했어.

어머닷!

부적을 떼면 혼내줄 거야.
그러니까 손대지 마!

하하하하~
날 혼내 준다구?!

버섯 주제에 감히
누굴 혼내 준다는 거야!
까~불고 있어!

자꾸 까불면 모조리
뜯어서 버섯매운탕을
해먹어 버릴 거야!

무슨 소리야?

바우 목소리 같은데….

저기 오는데?!

재 왜 저래?

혁

좀비버섯이닷!

모두 피해!

안 되겠어! 우리도
맞서 싸우자!

안 돼!
버섯을 공격하지 마!

이, 이게 뭐야?

맙소사, 좀비버섯의
포자를 뒤집어썼으니…
이제 끝장이야!

으~ 온몸이 가려워!

에잇!! 윽!

점점 더
심해질 거야.

좀비버섯의 포자는 달라.
목숨이 끊어질 때까지
가려움이 그치지 않는다구.

약 바르면
낫겠지 뭐.

이까짓
버섯 가루쯤이야….

방법은 하나뿐!

버섯, 버섯, 몽땅 버섯-
아래 버섯, 위 버섯-

머쉬맘이시여,
모습을 나타내소서!

쿠궁

어린 마법사여~
그대가 나를
불렀나요?

네, 간곡히 드릴
부탁이 있사옵니다.

제 친구들이 어리석어
금기를 범했나이다.

부디 자비를 베풀어
살려 주옵소서!

오래 전 받았던
은혜를…

이제야
갚게 되는군요.

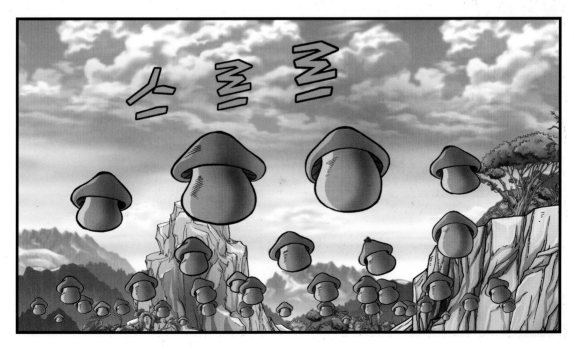

가려움이 사라졌어!

나도!

자연 속의 생물은 아무리 작고 보잘것 없이 보여도 모두 소중한 생명체예요.

함부로 업신여겼다간 무서운 자연의 보복을 당하게 된다는 점을 잊지 말아요.

명심하겠습니다!

오늘 일은 모두에게 좋은 교훈이 됐을 거예요. 그럼 이만….

건강한 모습으로
뵈니까 파워와 위엄이
느껴진다.

그래, 머쉬맘은
모든 버섯들의
어머니이자,

전투력 60의
강자야!

안녕히 가세요~.

오늘 고마웠어요~.

얘들아, 저기…

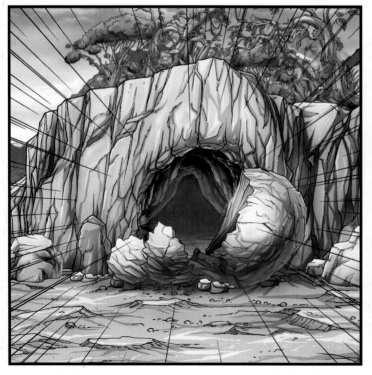

큰일났다!
에아한테 무슨 일이라도
생겼으면…!

모두 내 잘못이야.
흐흑~.

도도, 진정해.

에아를 살려낼 마지막
방법이 있으니까!

흑... 정말
다행이야.

하지만 다들 명심해.
이게 정말 마지막
방법이라는걸.

신이시여…

우리 친구 에아의 생명을 돌려주옵소서!

동이 틀 때까지…

7개의 촛불이 모두 켜 있으면 에아가 되살아난다고 했지?

델리키가
분명히 그랬지?

응, 우리 이제
차분히 기다려 보자.

도도, 모든 게 다
잘 될 거야.

신이시여, 제발…!

아, 성공이다!

이제 조금만 더 있으면 에아는 부활한다!

동이 튼다!

동굴 안의 상황은 어떨까?

아, 이제 조금만
더 있으면…

너희들, 방금 에아가
날 부르는 소리 들었지?

아니….

틀림없이 들었어.
에아가 되살아난 거야.
되살아났다구!

우리
들어가 보자!

도도, 진정해. 아직 완전히
동이 트지 않았다구!

무슨 소리야?
동은 이미 텄어!

빨리 에아를
만나야겠어!

도도!

안 돼!

오, 신이시여…!

에아! 가지 마,
가지 마, 에아!

도도…

1분만, 아니, 30초만
더 있었으면 에아를
되살릴 수 있었는데,
왜 들어온 거야, 왜!

에아가
가버렸어….
나 때문에….

이젠 방법이 없어.
에아의 영혼은
〈죽은 자들의 나라〉로
가야 해.

에아ーー!

부들

꽉 꽉 꽉

또 또...

에아, 어디 있니?
살아 있는 거지?

아니…, 난 이제 너희들처럼
육체를 가질 수 없어.
죽었으니까….

에아, 나를 용서해 줘.

그런 소리 하지 마,
도도, 널 만난 건
내 생애 최대의
기쁨이었어.

모두들 고마워,
내 소중한 친구들…

너희들과의 추억을 잊지 않을게,
나는 이제〈죽은 자들의 나라〉로
가야 해.

애들아, 안녕….

안 돼! 널 이대로
보낼 순 없어!

바우야! 삐삐!

이놈들, 썩 내리지
못할까?

그럼 내 친구도
내려 줘요!

삐!
(내려 줘요!)

얘들아,
이러면 안 돼!

내 잘못으로
이렇게 된 거잖아.
절대 널 보낼 수 없어!

오냐, 그럼
함께 데려가 주마!

그런 법이 어딨어요?

얘들이 안 내리는데
어쩌란 말야!

늦었어…
죽음의 기운이
배를 둘러쌌으니
이젠 내리고 싶어도
내릴 수 없어.

내 친구들을
내려 줘요!

이미 늦었다.

얘들아, 내 초능력을
불어넣어줄 테니까
그 힘을 써서 탈출해!

싫어. 같이 가!

삑!
(같이 가!)

나는 같이 못 가…,
시간이 없어, 얼른!

번쩍

풀썩

바우야!

딱 딱딱

괜찮니?

!

바우의 이마에…

세계수 딸의
초능력을 상징하는
'지혜의 눈' 이!

바우야, 죽음의 배에서도 탈출하다니~ 정말 대단하다.

에아의 초능력 덕분이야.

에아가 영혼의 상태에서 초능력을 썼단 말이야?!

에아, 이 나쁜 계집애… 누가 탈출시켜 달랬냐? 나는 너랑 같이 있고 싶었단 말야.

그런데… 삐삐는 어디 있지?

두리번

헉!

삐삐가 와일드 카고로
변해 버렸어!

삐삐… 아니지, 이젠 그렇게 부르면 안 되겠네.

뿌우?
(뭔 소리야? 왜들 이래?)

너한테 무슨 일이 일어났는지 정말 모르겠니?

뿌욱?
(일은 무슨 일?)

쑥

뿌수수욱

애도 놀라긴 엄청 놀랐나 보다.

그런데 어찌된 일이지?
내가 알기로는 와일드 카고의
어린 새끼가 어른으로 진화하기
위해선 수천 년의 세월과
고된 수련 과정이 필요하다고
들었는데…

삐삐는
단숨에 어른으로
진화해 버렸잖아.

하지만 완전하게
어른 와일드 카고가 된 것
같지는 않아. 그러니까
'주니어 카고' 쯤으로
부르는 게 어떨까?

어쨌든 기적이 일어난 것만은 분명해.

내 생각엔 에아의 초능력이 이런 기적을 일으킨 것 같아.

그 동안 자신을 친누나처럼 따랐던 삐삐에게, 에아가 마지막으로 선물을 준 거야.

이 모든 게 꿈이었으면 좋겠어! 에아가 우리 곁에 없다는 것이 난 믿어지지 않아!

그래, 이게 꿈이라면 얼마나 좋을까….

애들아, 슬퍼하지 마.

에아야~
우리 곁으로 다시
돌아온 거니?

아니….
너희들에게 마지막
작별 인사를
하러 왔어.

너무해! 이렇게 혼자 떠나도
되는 거야? 함께 힘을 모아서
빅토리아 아일랜드를 구하자고
맹세했잖아!

미안해, 바우야. 하지만 너희들이 내 몫까지 훌륭하게 해낼 거라고 믿어. 나도 멀리서나마 지켜볼게.

에아… 난…, 너 없인 살 수 없을 것 같아.

그러지 마, 도도. 나는 네 마음 속에 항상 살아 있을 거야.

에아!

도도!

사랑해 얘들아….

안녕, 에아….

커닝시티!
정말 번화한 곳이구나.

그럼~! 빅토리아
아일랜드에서 가장 큰
도시잖아!

저기
지하철 역이 있네?!

지하철은 커닝시티의
자랑이야.

우리
타 보자!

어? 차비가
모자르잖아!

걱정 마.
나, 바우가
해결할 테니까!

네가 어떻게?

이 영특한 머리와
빼어난~ 미모로!

이제 세 장만 더
뽑으면 되나?

바우야,
제발 참아!

이게
무슨 짓입니까?

공익요원이야!
큰일났다!

무… 무슨 일로…?
전 그냥 가만히
서 있기만
했는데요….

이 자동 판매기를 머리로 들이받는 것을 똑똑히 봤는데도 딴소립니까?

무슨 말씀이세요? 증거 있어요? 증거 있냐구요!

우리 친구지만 진짜 왕 뻔뻔이다.

물론 증거 있습니다! 전부 찍어 놨다구요!

이번엔 딱 걸렸다!

역무실로 갑시다!
법을 어겼으니
마땅히 벌을 받아야죠!

못 가! 한 발짝도
못 간다구!

지금 버티시겠다~
이겁니까?

이래도
반항할 겁니까?

안 되겠어.
작전을
바꿔야겠어.

지금
뭐하는 겁니까?

아짜찌, 제가
어려서 모르고 그래쩌요.

궁지에 몰리니까
별짓을 다하는구나.

어리긴 뭐가 어립니까?
나이도 먹을 만큼
먹은 것 같은데….

그렇지 않아요, 아짜찌.
제가 보기보다 성숙해 보여서
그렇지~, 사실 나이는
무지 어려요, 아짜찌.

우와! 미인대회가 열렸나 봐.

미인대회? 저런 건 왜 하는 건데?

바우야, 너는 미인대회에 관심 없니?

물론~!

나와 겨룰 만한 초절정 미인이 어디 있겠어? 난 정의를 위해 몸바친 파이터 걸로 충분해!

대회 심사위원장이신 '돈 지오바네' 시장님을 소개하겠습니다!

저 사람이
커닝시티 시장인가 봐!

어! 저 사람은
미용실 원장인데
언제 시장이 됐지?

아루루, 너 커닝시티에
대해 아는 게 많구나.

으응...
그냥 조금 알아.

시작하기에 앞서, 여기 모이신 관중 여러분 가운데 딱 한 분만 즉석에서 대회에 참가할 수 있는 기회를 드리도록 하겠습니다.

저 쇼!

자신 있는 분은 손을 높이 들어 보세요!

저 쇼!

가장 손을 높이
드신 분이…

아, 저기 계시군요!

나는 단지 손끝으로
맑은 하늘을
느껴 본 것
뿐이었는데….

말도 안 돼.
너무 속보인다, 그치?

이봐~ 어서
내 사다리
돌려 줘!

정, 참가하기
싫으시다면…

뭐, 할 수 없군.
모두가 날 원하니
참가하는 수밖에….

저, 저것은…
세계수의 딸을
상징하는 지혜의 눈!
다른 사람에겐 안 보일지
몰라도 내 눈은
못 속이지!

가까이서 보니,
대단한 미인이시군요.

너무 자주 들은 말이라
이젠 지겨워요.

특히 이마에 있는
세번째 눈이 무척
아름답습니다.

무, 무슨 소린지?

심사 결과,
바우 양이
미스 커닝시티에
당선되었습니다-!

자, 이제 파티장으로
가실까요?

파티장이
어딘데요?

어디긴!
아~주 좋은 곳이지~!
크흐흐흐!

돈 지오바네, 도대체 무슨 음모를 꾸미고 있는 거야?! **코믹메이플스토리** ⑦**권**을 기대해 주세요!

서울문화사의 어린이 책은 유익하고 재미있습니다!!

황금의 씨앗 시리즈

큰 꿈과 희망을 맘껏 펼칠 수 있도록 공부방법, 대화기술, 자기관리 능력 향상을 위해 기획된 유익하고 재미있는 학습만화입니다.

나에게 맞는
공부방법 찾기

부록
목표가 한눈에
보이는 꿈의지도

상황에 맞는
대화방법 찾기

부록
내마음을
살짝 전하는
쪽지편지지

생활에 맞는
정리방법 찾기

부록
정리할 때
꼭 필요한
라벨스티커

서바이벌 세계 문화 탐험 시리즈

세계 여러 나라의 생활문화를 알려줌으로써, 21세기 국제화시대에 당당한 세계인으로 성장할 수 있도록 기획된 실용학습만화입니다.

천방지축
동훈이의
좌충우돌
미국여행
체험기

말괄량이
란미의
우왕좌왕
중국여행
체험기

위풍당당
동걸이의
휘황찬란
일본여행
체험기

제가 어떻게
살을 뺏는지
궁금하다구요?
책 속에 모두
담겨 있답니다.

흩어진 크로우
카드를 찾아서
신기한 마법의
세계로 떠나는
환상모험!!

도망친 왕자를
찾기 위해
지구로 온
코미의 신나고
가슴 뭉클한
지구여행기!!

가까운 서점 및 대형 할인점, 인터넷 서점에서 만나세요! **각권 값 8,500**

서울문화사